D1246716

Vive la vie!

MILK

Vive la vie!

ÉDITIONS DU CHÊNE

© Thanh Long

AMOUR

FAMILLE

AMITIÉ

nous nous serons tant aimés

Ces photos extraordinaires réalisées aux quatre coins de la planète sur les trois thèmes de l'amour, de la famille et de l'amitié sont le fruit d'une formidable aventure. Un projet démesuré, un peu fou, qui a commencé par un appel lancé aux photographes du monde entier par une petite maison d'édition néo-zélandaise, M.I.L.K. Il s'agissait, ni plus ni moins, d'immortaliser et d'exalter, par la photographie, ce qui fait l'essence même de l'humanité.

Créée pour la circonstance, M.I.L.K. dont les initiales signifient *Moments of Intimacy, Laughter and Kinship* – que l'on pourrait traduire littéralement par « Moments d'intimité, de rires et de fraternité » – lance donc un concours photographique planétaire doté de récompenses très attrayantes et présidé par le célèbre photographe Elliott Erwitt. Objectif de ce Prix M.I.L.K. : inciter des artistes du monde entier à participer à « l'événement photographique de notre temps ». Afin que le plus grand nombre de pays soient représentés, les organisateurs n'ont pas hésité à contacter individuellement des photographes de chacun des 192 pays du globe.

« Pour répondre à nos critères de jugement, explique Geoff Blackwell, directeur du projet, leurs travaux devaient raconter d'authentiques histoires, chargées d'une émotion réelle et spontanée. » Près de 17 000 photographes, issus de 164 pays – ce qui était inespéré – ont participé. Parmi eux, une multitude de lauréats de prix divers (dont pas moins de quatre Pulitzer), des professionnels mais aussi des amateurs de talent originaires des cinq continents. Au total, M.I.L.K. a reçu plus de 40 000 clichés, certains amoureusement empaquetés dans des sacs de toile cousus, d'autres, accompagnés de chaleureux messages d'encouragement : 40 000 inoubliables portraits de la vie et de la condition humaine, de ses premiers instants fragiles à son dernier souffle.

Né d'un rêve, ce projet est devenu une véritable épopée photographique qui a donné naissance à ce livre, émouvants fragments de vie rassemblés, qui paraît en même temps dans de très nombreux pays : États-Unis, Canada, Grande-Bretagne, Italie, Espagne, Australie, Brésil, Hollande, Suisse, Autriche, Irlande du Nord et, bien sûr, Nouvelle-Zélande.

En le feuilletant, sans doute vous reconnaîtrez-vous dans certains portraits. Ces moments vécus par d'autres sont aussi les vôtres, les nôtres. Tolstoï écrivait, à propos de l'art, que les émotions qu'il suscite ne devraient pas être réservées à une élite mais être accessibles au plus grand nombre, un idéal totalement partagé par l'équipe de M.I.L.K. Ces images parlent à chacun d'entre nous dans toute leur clarté, leur universalité et – osons un terme galvaudé – leur joie.

Introduction de KIM PHUC

À cause de la tragédie du Vietnam, et d'une photographie, je suis devenue un symbole vivant de la guerre. En réalité, mon histoire, comme toutes celles que racontent les pages de ce livre, est faite d'amour. C'est l'histoire d'une image qui a le pouvoir de changer le cœur des hommes.

Il arrive souvent, lorsque je fais mes courses en famille ou que j'attends un avion à l'aéroport, qu'on m'aborde pour me demander si je ne suis pas la fille de la célèbre photo. Les gens me témoignent toujours de la curiosité et de la gentillesse. Ils agissent comme s'ils me connaissaient, même si je ne les ai jamais rencontrés. Parce qu'ils se souviennent d'une image : celle d'une petite fille qui court sur la route au Vietnam. Je leur réponds en souriant qu'en effet, c'est bien moi la fillette sur la photo. Alors ils commencent à me raconter leur propre histoire. Ils m'expliquent que cette photo a profondément changé leur vie. Qu'elle les a aidés à pardonner. Qu'elle leur a appris à aimer. C'est dans ces moments-là que j'en tire la plus grande fierté.

Mes plus lointains souvenirs sont remplis d'amour. L'odeur des plats que cuisinait ma mère, la grande maison que je partageais avec mes sept frères et sœurs, le sourire de mon grand-oncle, les arbres fruitiers de notre jardin, mes amis à l'école. Mon nom « Phuc » signifie « Bonheur », et c'est vrai que j'étais une enfant heureuse.

Mais soudain, tout a changé. La guerre a fait irruption dans notre village. Ma famille s'est réfugiée durant trois jours dans l'unique endroit « sûr » des environs, la pagode voisine. Lorsque les soldats se sont rendu compte que les avions allaient bombarder l'édifice sacré, ils n'en ont pas cru leurs yeux. Ils ont crié aux enfants de sortir. J'ai eu très peur et je me suis élancée sur la route avec mes cousins. Et puis j'ai vu quatre bombes. Tout à coup, tout a été recouvert de napalm et je me suis retrouvée prisonnière au milieu d'un épouvantable incendie. Mes vêtements, ma peau, tout a brûlé. Par miracle, mes pieds n'ont pas été touchés, alors j'ai pu continuer à courir. Je criais « … nong qua, nong qua ! », « ça brûle, ça brûle ».

C'était le 8 juin 1972. J'étais petite. J'avais neuf ans.

Ce jour-là, Nick Ut, qui travaillait pour Associated Press, m'a photographiée sur la route. Le destin nous a réunis l'espace d'un instant – instant tragique, terriblement fort.

Le lendemain, ma photo faisait la une des journaux dans le monde entier. L'opinion publique était sous le choc. Elle découvrait une enfant innocente prise dans la violence d'une guerre dont elle ne savait rien. Cela signifiait qu'en temps de guerre, il n'y a plus aucun refuge. Cette image a changé la façon de voir le conflit du Vietnam et toutes les autres guerres. On s'en souvient, le cliché a

Tant de cicatrices, sur mes bras, sur mon dos.

Je croyais que je ne me marierais jamais, que personne ne m'aimerait. Combien j'avais tort!

Cette photo de mon petit ange Thomas avec moi, c'est une image d'amour.

[KIM PHUC]

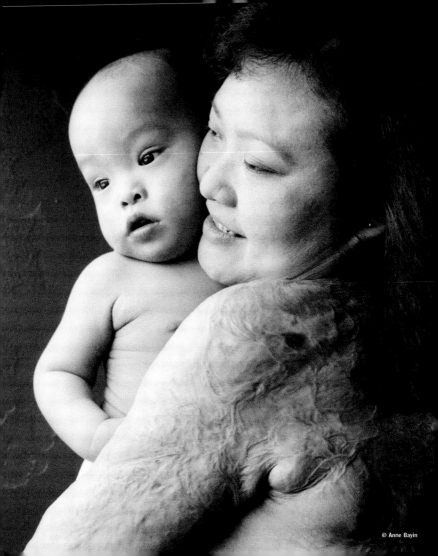

© Anne Bayin

remporté le prix Pulitzer, mais il y a plus important : le photographe m'a sauvé la vie. Nick Ut ne s'est pas contenté de faire son travail ; par-delà le reporter, il y a eu un être humain qui est venu en aide à un autre être humain. Après avoir pris sa photo, il a posé son appareil pour m'emmener au plus vite à l'hôpital le plus proche. C'était un acte d'amour.

***

Quand mon ami me demande ce que le mot amour évoque pour moi, je réponds : l'amour de Dieu, parce que Dieu a changé ma vie. L'amour de ma famille, l'amour des médecins qui m'ont soignée. L'amour de la liberté et du pardon. L'amour maternel, l'amour filial – il est si beau, si fort, si joyeux. L'amour d'un homme bien. L'amour de l'océan, du froid, parce qu'il me soulage lorsque ma peau me fait souffrir. L'amour des pommes, du rire, de la prière. L'amour du rose. L'amour de la rencontre, surtout avec les jeunes, partout. Ils sont notre espoir, notre avenir. L'amour des choses sérieuses, l'amour des choses amusantes…

Dans certaines images de ce livre, je revois mes propres parents, qui vivent avec nous au Canada. Eux aussi sont désormais des grands-parents. Peu importe que les grands-parents de ces photos viennent comme eux du Vietnam du Sud ou de Mongolie ou encore d'Afrique. Lorsque j'ai montré certaines des photos de ce livre à mon fils de deux ans, sa réaction a été immédiate. Il s'est écrié « Grand-mère ! Grand-père ! » en montrant les personnages du doigt, comme s'il les reconnaissait. Il y a des amoureux et des amis très proches, originaires de nombreux pays, qui nous ouvrent leur cœur. Certains se tiennent dans une embrasure de porte, d'autres se déplacent en métro, comme cela m'arrive aussi parfois. En lisant dans leurs yeux, on imagine très bien ce qu'ils ressentent. Comme ces gens qui m'abordent dans la rue, j'ai envie de leur demander : « Ce ne serait pas vous, vous savez, la mère, sur cette photo ? Je vous connais ! »

Ces photos me rappellent de mauvais mais aussi de bons souvenirs : le visage de mon père durant les mois qu'il a passés à mon chevet à l'hôpital ; je ne pouvais pas parler et il était persuadé que j'allais mourir. Durant mes études universitaires à Cuba, mes promenades nocturnes sur le Malecon, main dans la main avec mon petit ami que je venais de rencontrer. La naissance de mes deux trésors, mes fils Thomas et Stephen. Des images qui évoquent la confiance, le rire, les adieux aux amis sur un quai de gare. Quand je les regarde, ces photos remuent mes propres souvenirs, alors je les trouve attachantes.

À mon avis, pour avoir fait des images aussi belles, les photographes qui ont pris ces clichés sont des êtres emplis de compassion.Il faut aimer les gens pour réussir de telles photos. Je pense que, comme Nick Ut, ils n'hésiteraient pas à poser leur appareil pour secourir les autres.

La photographie qui figure page 50 me touche particulièrement. Elle représente un enfant chauve et son infirmière. Il s'agit probablement d'un enfant atteint du cancer. L'infirmière l'embrasse tendrement. Ce pourrait être mon infirmière, Hong, qui m'a tant aimée. Moi non plus je n'avais plus de cheveux lorsque j'ai été soignée à la clinique des grands brûlés de Saigon. En plus, je ne pouvais pas porter de haut, à cause de mes brûlures sur le torse. Le napalm, c'est du carburant gélifié, c'est cruel. Ça brûle profondément, bien plus que l'eau bouillante.

Durant ma convalescence, mes parents venaient me voir tous les jours. Ils m'aidaient à plier les doigts. Tout doucement, parce que j'avais la main gauche paralysée, comme une serre, et je ne pouvais pas du tout la bouger. Ensuite, ils me massaient le dos pour stimuler la circulation du sang. Lorsque je refusais de faire mes exercices – parce qu'ils me faisaient trop mal – ma mère me disait : « Kim, si tu ne veux pas rester handicapée, il faut faire tes exercices. » J'aimais ma mère, alors je lui obéissais.

À l'école, je mourais d'envie de porter des chemisiers à manches courtes comme les autres petites filles. Souvent, je tendais les bras devant moi pour les regarder. Mon bras droit était parfait, très joli ; mais mon dos et mon bras gauche étaient couverts de cicatrices et tout déformés. Alors je me demandais pourquoi ça m'était arrivé à moi. Je voulais tellement être « normale ». Une fois, j'ai surpris la conversation d'un groupe de filles qui parlaient d'un garçon de la classe. Il était beau mais il avait une brûlure à la main. L'une des filles a dit qu'elle ne pourrait jamais sortir avec lui, à cause de ses cicatrices. Pourtant, elles étaient insignifiantes ! Ça n'était rien comparé aux miennes. Vous ne pouvez pas imaginer à quel point ces mots m'ont fait mal.

J'étais convaincue qu'aucun garçon ne voudrait jamais m'aimer ni se marier avec moi à cause de mes cicatrices.

Quand le gouvernement m'a finalement accordé l'autorisation, en 1986, de suivre des études d'anglais et d'espagnol à l'université de La Havane, je suis partie à Cuba. Là-bas, j'ai rencontré Toan, un étudiant originaire du Vietnam du Nord. On est sortis ensemble. Amour romantique. Amour conjugal. Quand je vois ces photos, ça me fait sourire. Je me souviens de l'époque, quand j'étais plus jeune, où je pensais qu'aucun homme ne pourrait m'aimer à cause de mes cicatrices. J'avais bien tort. Toan et moi, nous sommes tombés amoureux et nous nous sommes mariés. En septembre 1992, nos amis nous ont offert un magnifique mariage à La Havane.

Dans cet ouvrage, il y a aussi des images qui illustrent la confiance. Laissez-moi vous raconter une merveilleuse anecdote à ce propos. Avec mon mari, nous avons obtenu l'autorisation de nous rendre à Moscou pour notre lune de miel. J'avais entendu dire qu'il était possible de passer au Canada au retour, lorsque l'avion faisait escale à Gander, sur Terre-Neuve, pour se ravitailler en kérosène. Nous sommes restés une heure dans le hall de transit. Une éternité. Toutes nos affaires personnelles, sauf les quelques photos rangées dans mon portefeuille – vous voyez à quel point les photos sont importantes pour moi – étaient restées dans l'avion. Nos amis, nos études, tout était à Cuba.

Je me demandais bien comment on faisait pour passer à l'Ouest. Alors j'ai prié. « Dieu, aide-moi. Montre-moi la voie à suivre. » Lorsque j'ai rouvert les yeux, j'ai vu une porte en verre entrebâillée. Derrière, il y avait un petit groupe de Cubains qui voyageaient dans le même avion que nous. Ils discutaient avec un agent des services de l'immigration canadiens. J'ai saisi ma chance. « Toan, vite, donne-moi ton passeport », lui ai-je dit tout bas. C'est ce qu'il a fait. Sans rien demander.

Ça, c'était du courage, de l'amour pur.

Il y a huit ans que nous avons effectué ce voyage vers la liberté. C'est une histoire que nous raconterons à nos enfants. Quand nous sommes arrivés ici, nous n'avions rien. Mais on était ensemble et nous étions libres. Alors, il ne nous manquait rien.

Je suis une personne réservée. Longtemps, après m'être enfuie au Canada, j'ai voulu oublier cette photo. Elle m'avait suivie partout et je voulais simplement vivre ma vie privée en toute tranquillité, dans mon nouveau pays, avec ma famille. Mais elle m'a poursuivie. Des journalistes anglais, de Londres, m'ont retrouvée. À cette époque, une amie très chère, Nancy Pocock, « Maman Nancy », a joué un rôle important dans ma vie. Elle m'a aidée à comprendre que si je ne pouvais pas échapper à cette photo, je devais m'en servir– au profit de la paix. Finalement, je l'ai acceptée comme un magnifique cadeau. Elle faisait partie du plan que Dieu avait prévu pour ma destinée.

À cause de cette photo, on m'a demandé d'apporter mon concours au Mouvement pour la paix. En 1997, j'ai été nommée ambassadrice de bonne volonté pour l'UNESCO et je continue d'œuvrer pour la paix. Grâce à cette photo, j'ai voyagé dans le monde entier, dans nombre de pays où les images d'amour de ce livre ont été prises – en Irlande, en Corée, en Nouvelle-Zélande et en France. J'ai rencontré des présidents, des premiers ministres, de grandes figures du milieu des affaires, des musiciens célèbres et de merveilleuses personnes anonymes. Et j'ai appris une chose vraie. Le cœur de l'homme est bon. Partout, les gens veulent la paix.Ils veulent trouver une solution pour mettre fin à la guerre et pouvoir élever leurs enfants dans un monde pacifique.

Ma photo est due aux hasards de l'Histoire : un photographe qui se trouvait sur cette route. Mais, jamais je n'oublierai les millions d'innocentes victimes qui n'ont pas eu la chance de croiser un photographe pour témoigner de leur souffrance. Jamais je n'oublierai les enfants, surtout. C'est pour cette raison que j'ai créé la Fondation Kim, une organisation humanitaire qui aide les enfants victimes de la guerre. Il en existe deux antennes, l'une à Chicago, l'autre à Toronto.

Il y a quelques années, je me suis rendue devant le monument aux morts des vétérans du Vietnam à Washington D. C. J'ai vu les noms de tous ceux qui sont morts dans cette guerre. Morts pour quoi ? Pourquoi ont-ils dû souffrir ? De nombreux vétérans de la guerre sont venus me parler. Un en particulier. Il est sorti de la foule pour se présenter. Il s'appelait John Plummer et il avait participé à l'organisation de l'attaque sur mon village, Trang Bang, le jour où j'ai été brûlée. Il m'a dit qu'il ne se l'était jamais pardonné et que cela avait détruit sa vie. Il m'a demandé de lui pardonner, et je l'ai fait. Je pense que lui aussi a été une victime, comme moi.Ce sont de véritables instants d'amour.

Je crois que nous sommes tous des créatures de Dieu, que nous sommes nés avec une immense capacité à faire la paix. Le livre que vous tenez entre vos mains témoigne de l'amour dont l'humanité est capable. Avec tant d'amour, il devrait être facile de faire la paix. Nous devons commencer au sein de notre propre famille, puis sur notre lieu de travail et enfin à l'échelle de la nation.

Les souvenirs dont je vous ai fait part ont resurgi en voyant les photos présentées dans cet ouvrage. Lorsque vous regarderez ces images à votre tour, profitez des souvenirs qu'ils évoqueront pour vous. Créez votre propre mémoire pour l'avenir.

Souvenez-vous de la force qu'une photo peut avoir. Plus forte que toutes les bombes. Aussi forte que l'amour.

Kim Phuc

Propos recueillis par Anne Bayın (Toronto, Canada)
et traduits par Françoise Fauchet (Paris, France).

© Jamshid Bayrami

AMOUR

Depuis le commencement de ma vie, je cherche ton visage et, aujourd'hui, je l'ai vu.

[RUMI]

© Tino Soriano

Aime et fais ce que tu veux.

[SAINT AUGUSTIN]

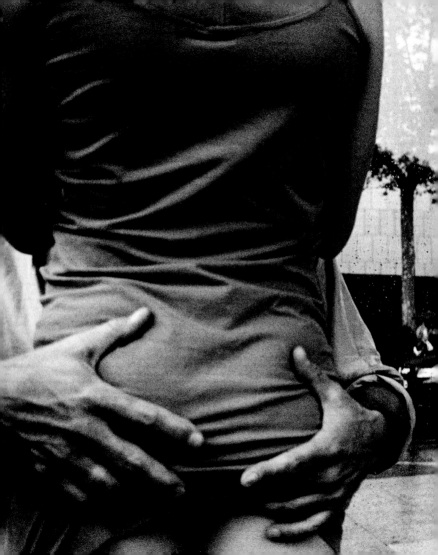

© David Sanchez Gimenez

La double solitude où sont tous les amants.

[ANNA DE NOAILLES]

© Piotr Malecki

L'amour est le miracle de la civilisation.

[STENDHAL]

Éternité

est l'anagramme d'étreinte.

[HENRY DE MONTHERLANT]

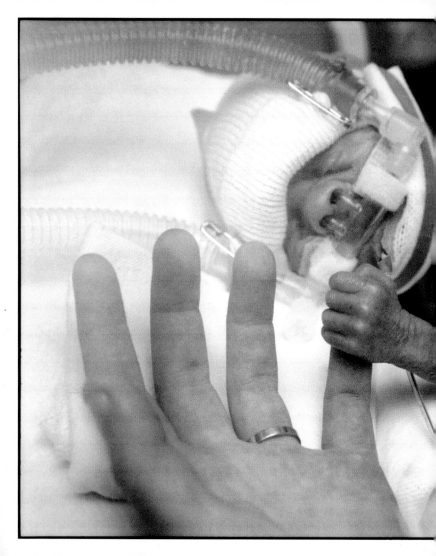

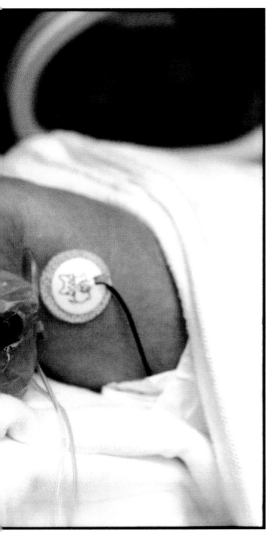

Avant de te concevoir, je te désirais déjà. Avant que tu naisses, je t'aimais déjà. Avant que tu n'aies une heure, j'aurais pu mourir pour toi. C'est ça le miracle de la vie.

[MAUREEN HAWKINS]

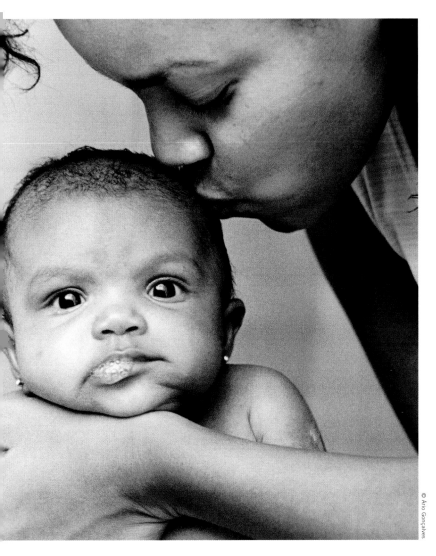

© Ivo Saglietti

Un seul instant d'amour rouvre

l'Eden fermé.

[VICTOR HUGO]

© Jack Dykinga

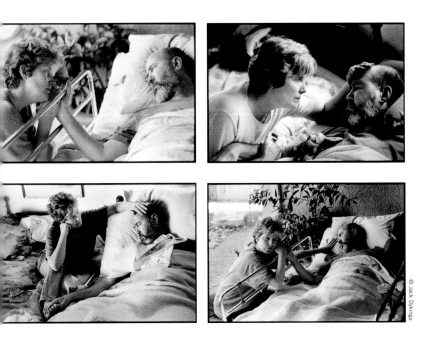

Mon meilleur ami, Tim Caravello, souffrait d'un cancer du cerveau. Durant ses dernières semaines de soins à domicile, son épouse, Linda, m'a demandé de photographier ces moments intimes – ces moments durant lesquels on dit quantité de choses par simple contact et où chaque instant est précieux.

C'est le dernier acte de l'amour éternel.

[JACK DYKINGA]

Le coup de foudre est facile à comprendre. C'est quand deux personnes se regardent depuis des années que cela devient un miracle.

[SAM LEVENSON]

Il n'y a qu'une seule chose qui résiste, c'est la passion.

[JULIE DE LESPINASSE]

DUE TO OLD
AGE AND A
NAGGING
WIFE I WILL
CLOSE
MONDAYS

Je t'aimerai, mon amour,
　　　　Je t'aimerai
Jusqu'à ce que la Chine et l'Afrique se rencontrent,
　　　　et que les rivières sautent par-dessus les montagnes
et que les saumons se mettent à chanter en pleine rue.

[W H AUDEN]

FAMILLE

Oh! L'amour d'une mère!

amour que nul n'oublie

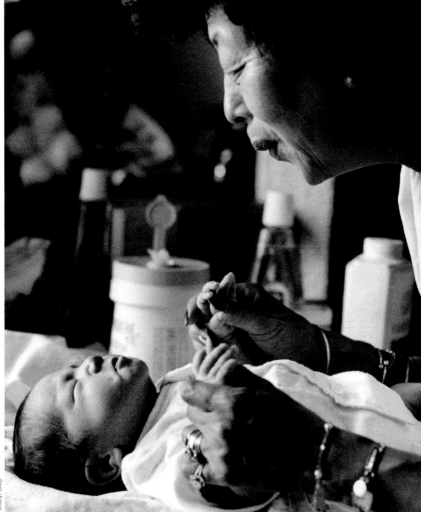

Le monde ne mourra jamais par manque de merveilles
mais uniquement par manque d'émerveillement.

[G K CHESTERTON]

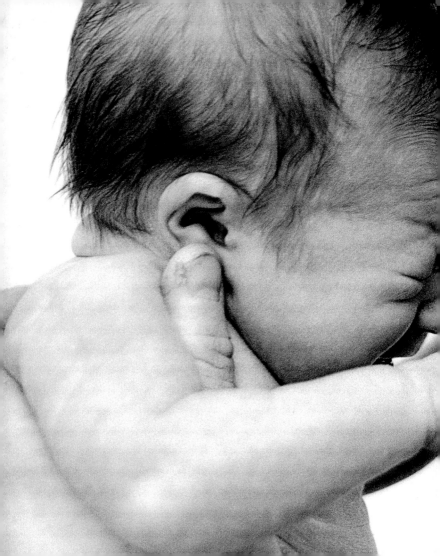

© Shannon Eckstein

Ce n'est pas en courant derrière
l'âme d'un enfant que vous la capturerez.

Il suffit de rester immobile pour qu'elle vienne d'elle-même, par amour.

[ARTHUR MILLER]

Où il y a de l'amour,

il y a de la vie.

[MAHATMA GANDHI]

Ce sont **les enfants et les oiseaux**

qu'il faut interroger sur le goût des cerises et des fraises.

[GOETHE]

© Viktor Kolar

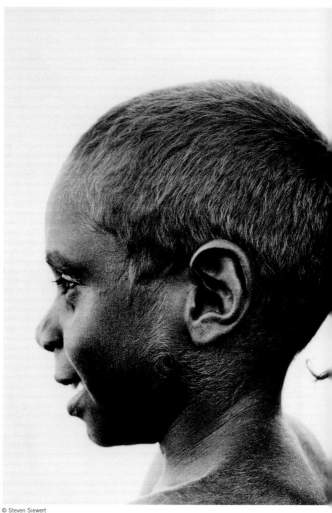

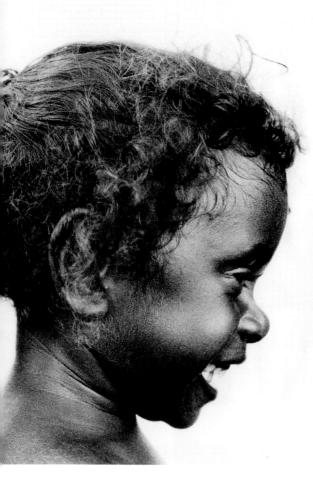

La vie **se délecte** de la vie.

[WILLIAM BLAKE]

Aide-moi à m'élever, je t'aiderai à t'élever et

nous nous élèverons ensemble.

[PROVERBE QUAKER]

© Martin Rosenthal

Des visages d'enfants offerts tels des coupes emplies d'émerveillement.

[SARA TEASDALE]

Pour connaître la joie, il faut la partager.

Le bonheur est né jumeau.

[LORD BYRON]

L'enfance est innocence

mais aussi négligence,

c'est un recommencement, un jeu,

une roue libre, un premier mouvement,

un Oui Sacré.

[FRIEDRICH NIETZSCHE]

Recherche la **sagesse** de l'âge

mais regarde le monde avec les yeux d'un enfant.

[RON WILD]

La mort n'a peut-être

pas plus de **secrets**

à nous révéler que la vie.

[GUSTAVE FLAUBERT]

L'enfant est le père de l'homme.

[WILLIAM WORDSWORTH]

© Thanh Long

AMITIÉ

L'amour n'est que la découverte de soi-même dans l'autre, et la joie de s'y reconnaître.

[ALEXANDER SMITH]

J'ai enfin trouvé ce que je voulais devenir plus tard: un petit garçon.

[JOSEPH HELLER]

La **joie**
n'est pas dans les choses,
elle est en nous.

[RICHARD WAGNER]

© Paul Knight

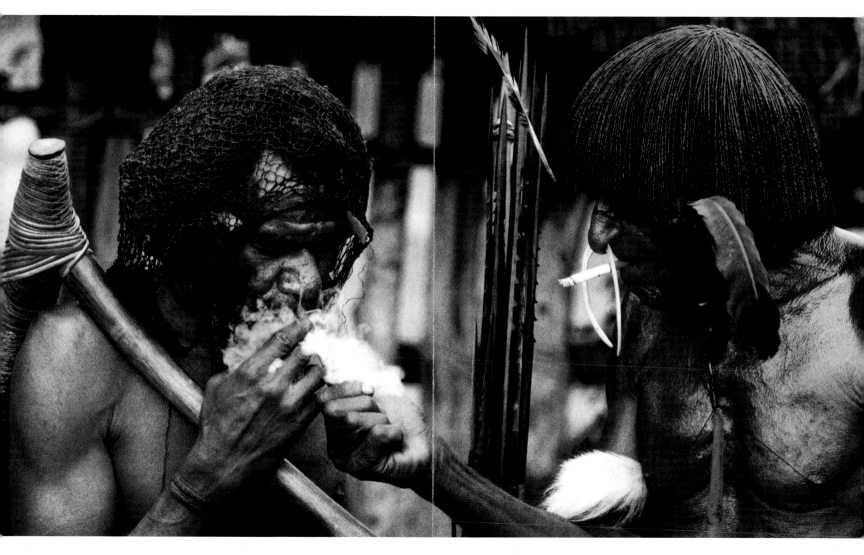

Une joie partagée augmente du double. Un **chagrin** partagé diminue de moitié.

[PROVERBE SUÉDOIS]

© Surendra Pradhan

© Duc Doan

Le courage de vivre offre souvent un spectacle moins extraordinaire que le courage du dernier instant. Pourtant, quel magnifique mélange de triomphes et de tragédies.

[JOHN F KENNEDY]

© Minh Quy

Une seule rose peut être mon jardin...

un seul ami, mon univers.

[LÉO BUSCAGLIA]

© Cristina Piza

© Terry Winn

149

La route qui mène **chez un ami** n'est jamais longue.

[PROVERBE DANOIS]

Que la douceur de l'amitié soit faite de rires et de plaisirs partagés.

[KAHLIL GIBRAN]

Tels des nomades,

les photographes parcourent le monde par milliers.

Fantassins de notre imagination,

ils écrivent des histoires avec la lumière,

la vitesse d'obturation, les sujets et les images.

[JAMES MCBRIDE]

LES PHOTOGRAPHES

ET LEURS ŒUVRES

Surendra Pradhan
INDE

Professeur de lycée en Inde, Surendra Pradhan s'intéresse à la photographie depuis 1972. Il fait partie de la Société Royale de Photographie d'Angleterre depuis 1984 et de la FIAP (Fédération Internationale de l'Art Photographique) depuis 1995. Ses photos ont été présentées dans de nombreuses galeries nationales et internationales.

© 1984 Surendra Pradhan

Dans les rizières indiennes, le rire et l'amitié illuminent les visages de deux jeunes ouvrières.

Pentax Spotomatic II, 135 mm, Ilford/135, Exp. f8-1/125

Malie Rich-Griffith
ÉTATS-UNIS

Malie Rich-Griffith vit à Kailua, dans l'archipel d'Hawaii. Sa fascination pour la photographie date d'un voyage en Afrique de l'Est effectué en 1994. Depuis, elle a beaucoup voyagé pour s'adonner à sa passion.

© 1997 Malie Rich-Griffith

Rire communicatif entre trois amies du village de Mgahinga, en Ouganda.

Canon EOS 1N, 28-135 mm, Kodak E100S/135, Exp. f5.6-1/125

Thanh Long
VIETNAM

Thanh Long a développé sa première pellicule il y a plus de trente-cinq ans. Toujours photographe professionnel à Nha Trang, au Vietnam, il a remporté la médaille d'or au Salon International de la Photographie Asahi Shimbun, au Japon, en 1988, 1995, 1997 et 1999. Son travail a fait l'objet d'expositions à travers l'Europe, l'Asie et l'Amérique du Nord.

© 1995 Thanh Long

Visages de six jeunes amis durant la récréation à Phan Rang, au Vietnam.

Nikon F2, 28 mm, 135, Exp. f5.6-1/30

John Kaplan
ÉTATS-UNIS

John Kaplan est professeur à l'Université de Floride où il enseigne la photographie et le design. Il a remporté, en 1992, le prix Pulitzer dans la catégorie photo magazine. En 1989, John avait déjà obtenu le prix Robert F. Kennedy pour son travail remarquable sur les personnes défavorisées aux États-Unis.La même année, il avait été désigné Photographe de l'Année dans la catégorie des journaux nationaux lors de la remise des prix de la Photo de l'Année.

© 1998 John Kaplan

Bonheur à deux - Xia Yongqing, 84 ans, et son neveu Yang Ziyun, 82 ans, se racontent des blagues dans le village de Nanyang, dans la province chinoise du Sichuan.

Nikon F5, 35 mm, Fuji/135, Exp. f4-1/250

Mikhail Evstafiev
RUSSIE

Mikhail Evstafiev a étudié le journalisme à l'Université de Moscou, sa ville natale. Après l'obtention de son diplôme, il a travaillé comme reporter puis a séjourné deux ans en Afghanistan comme correspondant militaire. Photographe indépendant depuis 1990, il travaille pour l'Agence France-Presse ainsi que pour Reuters à Moscou et à Londres. Mikhail est en outre l'auteur d'un ouvrage, intitulé *Two Steps from Heaven*, sur l'intervention militaire soviétique en Afghanistan.

© 1999 Mikhail Evstafiev

Dans les rues de Santiago de Cuba, à Cuba. Les témoignages d'affection d'un jeune couple suscitent le sourire d'enfants qui assistent à la scène.

Leica M6, 28 mm, Ilford XP2/135, Exp. f5.6-1/125

Anne Bayin
CANADA

Productrice de télévision et écrivain, Anne Bayin vit à Toronto. Elle collabore notamment à The Journal, émission-phare de CBS consacrée à l'actualité. Elle a étudié avec les célèbres photographes Freeman Patterson et Len Jenshel. Ses travaux l'ont conduite aux quatre coins de la planète et ont fait l'objet de plusieurs expositions.

© 1995 Anne Bayin

Kim Phuc est le sujet de la photo la plus célèbre de la guerre du Vietnam. Prise en 1972, cette image montre Kim gravement brûlée par le napalm. « La fille la photo » a grandi convaincue ne pouvoir séduire les garçons cause de ses cicatrices, pourta elle s'est mariée et elle vit aujourd'hui au Canada. Elle es ambassadrice de bonne volont pour l'UNESCO. Ce cliché a ét pris à l'occasion du premier anniversaire de son fils Thoma

Nikon F601, 35-70 mm, Kodak (200/135, Exp. non communiqué

David M Grossman
ÉTATS-UNIS

David M. Grossman travaille e à New York. Photographe indépendant spécialisé dans le portraits, il répond à des commandes provenant d'horize aussi variés que la presse, la publicité et le monde de la sa Son travail est représenté dans collections publiques et privée

© 1998 David M. Grossman

Frère et sœur - Ethan, 6 ans, embrasse avec enthousiasme Emory, 4 ans, lors d'une fête d'anniversaire donnée dans le quartier new-yorkais de Brookl

Canon T90, 28 mm, Kodak Tri-X/13 Exp. non communiquée

Jamshid Bayrami
IRAN

Jamshid Bayrami est un photographe autodidacte insta Téhéran, en Iran. Photographe guerre de 1985 à 1988, il a remporté en 1990 le premier du Troisième Concours Annuel Photographie de son pays ains que la médaille d'or de l'Exposition Internationale des Photographes Professionnels organisée au Pakistan. En 199 le magazine Life lui a décerné prix du Meilleur Photographe. Jamshid a été exposé en Iran,

ce et en Angleterre. Il a
...ment publié un album en six
...nes sur le cinéma iranien.

...6 Jamshid Bayrami

bahar su littoral du golfe
que - Sahel attend
...usement le retour de son
...é parti pêcher en mer.
...qu'on l'interroge à ce propos,
...se couvre le visage pour
...muler ses larmes.

F601, 70-210 mm, Kodak/135,
non communiquée

...ett Kennedy Brown
...ON

...ett Kennedy Brown est reporter
...pon. Ses photos paraissent
...ièrement dans les médias
...rais. Entre autres projets, il a
... une documentation
...ographique sur les jardins
...niques historiques du monde
...r et les rituels japonais en voie
... sparition. Son ouvrage
...ilé *Eyes on Japan*, réflexion sur
... des grandes figures
...nationales du sport au Japon, a
...argement salué par la critique.

...7 Everett Kennedy Brown

...ours d'un voyage à travers les
...pes de Mongolie intérieure, en
...e, des amis de fraîche date
... une pause pour nourrir leurs
...aux et partager un tendre
...ent de calme.

F4, 1.4/35 mm, Kodak Tri-X/135,
...5.6-1/60

Tino Soriano
ESPAGNE

Tino Soriano travaille comme
photographe indépendant à
Barcelone, en Espagne. Ses
photos ont été publiées dans les
magazines du monde entier,
notamment dans Paris Match, Der
Spiegel et le National Geographic.
Tino a remporté de nombreux prix,
dont le Fotopres espagnol, à cinq
reprises, pour la meilleure photo
de presse de l'année. En 1999, il
a remporté le premier prix du
World Press dans la catégorie «
Art ».

© 1999 Tino Soriano

La pluie retarde le début du
carnaval de Barahona, en
République dominicaine. Un
jeune couple échange un regard
amoureux en attendant que les
festivités commencent.

Leica M6, 2.8/35 mm, Kodak T-max
400/135, Exp. f5.6-1/250

Jindřich Štreit
RÉPUBLIQUE TCHÈQUE

Né à Vsetin, en République
tchèque, Jindřich Štreit a étudié
l'enseignement de l'art à
l'Université Palacký d'Olomouc. En
1982, il a participé à une
exposition clandestine d'art
alternatif qui lui a valu d'être arrêté
par la police secrète et de se faire
confisquer son matériel de photo. Il
n'a pu reprendre ses activités
artistiques qu'après la Révolution
de Velours de 1989. Aujourd'hui, il
travaille comme photographe
indépendant à Brno. Par ailleurs, il
enseigne la photographie à l'École
du cinéma FAMU de Prague et à
l'Université silésienne d'Opava, en
République tchèque.

© 1997 Jindřich Štreit

Tentative de séduction dans le
petit village russe de Kižinga,
dans le sud de la Sibérie.

Nikon FM2, 28 mm, Kodak T-max
400/135, Exp. f5.6-1/125

Christophe Agou
ÉTATS-UNIS

Français d'origine, Christophe
Agou vit désormais à New York. Il
a étudié la musique et les langues
avant de se lancer dans la
photographie en 1990. Après
avoir fréquenté le Centre
International de la Photographie à
New York, il s'est spécialisé dans
le reportage. Ses photos, qui lui
ont valu de nombreux prix, sont
parues dans des livres, des
journaux, des magazines et
figurent dans des collections
privées.

© 1999 Christophe Agou

Seuls au monde - Dans un wagon
de métro bondé de New York, aux
États-Unis, ces jeunes amoureux
n'ont d'yeux que l'un pour l'autre.

Leica M6, 35 mm, Agfa Scala/135,
Exp. f1.4-1/125

Vincent Delbrouck
BELGIQUE

Vincent Delbrouck est diplômé
en communication sociale.
Actuellement installé à
Bruxelles, en Belgique, il
réalise des documentaires
photographiques en
collaboration avec   épouse.

© 1997 Vincent Delbrouck

Jeune couple d'amoureux
étroitement enlacés dansant sur
les rythmes cubains de La
Havane.

Olympus, 35 mm, Ilford HP5/135, Exp.
non communiquée

David Sanchez Gimenez
ESPAGNE

David Sanchez Gimenez est né à
Terrassa, en Espagne. Il a
découvert la photographie lors de
ses voyages à travers le monde.
Après avoir étudié à l'École de
Photographie Grisart à Barcelone,
il est devenu photographe
professionnel en 1998. Ses
photos ont été publiées dans de
nombreux journaux et magazines
et couronnées à trois reprises lors
de concours organisés en
Espagne.

© 1999 David Sanchez Gimenez

Un jeune couple effronté distrait
l'attention d'Alfonso qui lit son
journal en attendant le bus à
Barcelone, en Espagne.

Leica M6, 2.8/28 mm, Kodak Tri-X/135,
Exp. non communiquée

Gundula Schulze-Eldowy
ALLEMAGNE

Née en Allemagne de l'Est,
Gundula Schulze-Eldowy a étudié
la photographie à Leipzig.
Photographe indépendante depuis
1985, elle a vécu en Allemagne,
en Égypte et aux États-Unis. Ses
travaux ont été exposés en Europe,
en Asie et en Amérique. Certaines
de ses photos ont été acquises par
le Musée d'Art Moderne de New
York et la Bibliothèque Nationale

de Paris, en France.

© 1987 Gundula Schulze-Eldowy

Gundula Schulze-Eldowy ne peut s'empêcher de rire sous les chatouilles de son ami Stephen. L'appareil a été réglé en pose automatique pour fixer cet autoportrait spontané réalisé dans un parc proche du domicile de la photographe, à Berlin.

Nikon FE, 50 mm, Orwo-NP 20/135, Exp. non communiquée

Piotr Malecki
POLOGNE

Le Polonais Piotr Malecki a suivi des cours de cinéma à Katowice puis s'est rendu en Angleterre pour étudier l'art et la photographie à l'École des beaux-arts de Bournemouth et Poole. Ensuite, il est retourné en Pologne, où il est devenu photographe professionnel. Actuellement, il est installé à Varsovie.

© 1994 Piotr Malecki

Adieux éplorés à la gare de Tallinn, en Estonie. Des marins de la flotte russe prennent congé de leurs petites amies estoniennes.

Konica Hexar, 35 mm, Ilford HP5/135, Exp. non communiquée

Dmitri Korobeinikov
RUSSIE

D'origine russe, Dmitri Korobeinikov est devenu photographe correspondant à sa sortie de l'Institut Fédéral du Travail Culturel du Kemerovo. En 1975 et 1985, il a été lauréat de l'InterPress Photo, prix

international décerné aux reporters photographes. Actuellement Dmitri travaille pour l'agence de presse russe Novosti à Moscou.

© 1989 Dmitri Korobeinikov

Jour de mariage dans le village russe de Gimenej - Les pluies incessantes ont transformé la route en un lit de boue. Le marié aide à pousser la voiture tandis que la mariée cherche à s'abriter.

Nikon FE2, 35 mm, Cbema 200/135, Exp. f5.6-1/125

Ivo Saglietti
ITALIE

Ivo Saglietti est installé à Milan, en Italie. Reporter photographe depuis 1978, il a travaillé sur l'actualité en Amérique latine, en Afrique et au Moyen-Orient pour divers journaux italiens et internationaux.

© 1997 Ivo Saglietti

Marque de douceur - Un médecin cubain réconforte une jeune victime de Tchernobyl d'un baiser compatissant. Certains enfants de la région d'Ukraine où s'est déroulée la catastrophe nucléaire sont soignés dans les hôpitaux de Cuba.

Canon Reflex F1, 24 mm, Kodak Tri-X/135, Exp. f2-1/15

Sandra Eleta
PANAMÁ

La Panaméenne Sandra Eleta a beaucoup voyagé avant de suivre une formation au Centre International de la Photographie à New York. Son diplôme en poche, elle est retournée vivre sa passion dans son pays natal. Aujourd'hui,

elle est établie à Panamá.

© 1979 Sandra Eleta

Putulungo et Alma, photographiés à Portobelo, au Panamá, illustrent l'esprit de l'expression latino-américaine « *tienes luz en la pupila* » (tu as de la lumière dans les yeux).

Hasselblad 500C, 80 mm, Kodak Tri-X/120, Exp. f5.6

Jack Dykinga
ÉTATS-UNIS

Lauréat du prix Pulitzer (catégorie photo magazine) lorsqu'il travaillait pour le Chicago Sun Times, le photographe Jack Dykinga s'est installé à Tucson en 1976. Son travail porte essentiellement sur la nature et la question écologique. La publication de ses photos dans plusieurs ouvrages a conduit à la création de parcs nationaux et de réserves aux États-Unis et au Mexique. Son dernier livre traite en grande partie de la région du désert Mohave, aux États-Unis.

© 1999 Jack Dykinga

Amour éternel - Série de portr du meilleur ami du photograph Tim Caravello, atteint d'un can du cerveau. Ces derniers insta intimes ont été saisis à la demande de Linda, l'épouse d Tim, au cours de ses dernière semaines de lutte alors qu'on prodiguait des soins à domicil Tucson, en Arizona.

Nikon N90S, 2.8/35 mm et 1.8/70-mm, Kodak Tri-X/135, Exp. f2.8-1/3 f2-1/125

Simon Young
NOUVELLE-ZÉLANDE

Simon Young est un photograp diplômé de l'Académie des Be Arts Elam de Nouvelle-Zélande. Actuellement installé à Auckla il travaille comme photographe indépendant pour les services d rédaction des magazines.

© 1999 Simon Young

Dans un hôpital d'Auckland, e Nouvelle-Zélande, un nouveau agrippe de ses doigts minuscu l'auriculaire de sa mère. C'est premier contact qui s'établit e la mère et son fils prématuré à uatre jours.

F90, 55 mm, Kodak T400
35, Exp. non communiquée

Gonçalves
ÉSIL

Gonçalves est né à Porto
re, au Brésil. Il a débuté dans
hotographie en vendant du
riel. En 1992, sa décision
plorer plus avant cette
pline lui ouvre les portes du
Forum des Jeunes de la
to de la FIAP (Fédération
nationale de l'Art
ographique). Actuellement,
travaille comme photographe
la police judiciaire
lienne.

© 1998 John Siu

Dans une rue du nord du Vietnam,
l'heureuse exubérance d'un jeune
enfant et le sourire chaleureux et
patient de sa grand-mère illustrent
les liens affectifs qui unissent les
générations.

Leica R8, 28-70 mm, Fuji/135, Exp.
1/200

99 Ário Gonçalves

vorado, au Brésil, le tendre
er de Rosângela déclenche un
ouillis de joie chez sa fille
e, âgée de 3 mois.

pus OM20, 105 mm, Kodak Tri-X
135, Exp. f3.5-1/30

n Siu
STRALIE

Siu dispose de plus de
ante ans d'expérience en
ographie. Installé à Killara, en
velle-Galles du Sud, Australie,
spécialisé dans les portraits
les touristes. John est
dent de la Société Chinoise
hotographie d'Australie et
bre de la Société
ralienne de Photographie de
g Kong.

Peter Van Hoof
BELGIQUE

Peter Van Hoof a étudié le cinéma
et la photographie à l'Académie
Royale des Beaux-Arts de Gand,
en Belgique. Après avoir obtenu
son diplôme, il a travaillé comme
assistant développeur puis au
service photo d'un journal avant
d'entamer une carrière
indépendante. Actuellement,
Peter vit à Gand et travaille pour
des magazines belges et
néerlandais.

© 1996 Peter Van Hoof

Étreinte ensommeillée pleine
d'amour et de tendresse entre
deux petits Chiliens de l'île de
Chiloe.

Nikon FM2, Kodak T-max 400/135, Exp.
non communiquée

Ricardo Ordóñez
CANADA

Natif d'Ottawa, au Canada,
Ricardo Ordóñez a vécu dans de
nombreux pays des Antilles et
d'Amérique du Sud ainsi qu'aux
États-Unis et au Canada.
Photographe autodidacte, il
travaille depuis plus de treize ans
pour un large éventail de clients
sur des thèmes tout aussi variés.
Sa société porte le nom de
PhotoSure.com. Ses photos ont
déjà paru dans divers médias du
monde entier.

© 1990 Ricardo Ordóñez/PhotoSure.com

Noces de diamant - L'amour, le
respect et soixante années de
mariage unissent Henri et Violet
Mayoux. Le couple échange un
regard amusé avant de découper
son gâteau d'anniversaire, dans
l'Ontario, au Canada.

Nikon F4S, 2.8/35-70 mm, Kodak
Ektachrome/135, Exp. f4-1/60

Kamthorn Pongsutiyakorn
THAÏLANDE

Kamthorn Pongsutiyakorn a
obtenu un diplôme de cinéma et
de photographie à l'Institut
Technique de Bangkok. Il dirige
aujourd'hui son propre studio
dans la région de Chonburi en
Thaïlande.

© 1998 Kamthorn Pongsutiyakorn

Une grand-mère et sa petite-fille
dans leur jardin, dans la région
thaïlandaise de Chonburi.

Contax 167 MT, 80-200 mm, Agfa/135,
Exp. f4-1/60

Marice Cohn Band
ÉTATS-UNIS

Marice Cohn Band a obtenu un
diplôme de photographie à
l'Université Internationale de
Floride à Miami, aux États-Unis.
Le Miami Herald l'a engagée
comme photographe il y a plus de
vingt ans et ses photos ont été
récompensées par de nombreux
prix.

© 1999 Marice Cohn Band

Amour et amitié illuminent les
visages de Sam, 91 ans, et de
Jeanette, 101 ans. Cette photo a
été prise à l'occasion du Sabbat
dans une résidence pour
personnes âgées juives de Miami
Beach, en Floride, États-Unis, où
vit le couple.

Nikon N90, 105 mm, Fuji/135, Exp.
non communiquée

Dylan Griffin
ÉTATS-UNIS

L'Américain Dylan Griffin a étudié
à l'Université Saint Edwards
d'Austin, au Texas. Ses travaux lui
ont valu une bourse de l'Atelier de
Photographie de Santa Fe et une
bourse Ruth Long. Aujourd'hui, il
vit et travaille à New York.

© 1998 Dylan Griffin

Le photographe a réalisé ce
portrait des oncles de son amie
dans une station thermale près de
Las Cruces, au Nouveau-Mexique.
David et Jeff, qui respectent le
même code vestimentaire,
partagent un moment de détente
autour d'une bière.

Rollei 6006, 50 mm, Kodak Tri-X/120,
Exp. f8-1/60

Romualdas Požerskis
LITUANIE

Après des études d'ingénieur en
électricité à l'Institut
Polytechnique de Kaunas en
Lituanie, Romualdas Požerskis a
travaillé à la Société lituanienne
d'Art Photographique.

Photographe indépendant depuis 1980, il enseigne l'histoire et l'esthétique de la photographie à l'université. En 1991, son pays lui a décerné un prix pour son œuvre culturelle. Depuis 1994, il adhère à la FIAP (Fédération Internationale de l'Art Photographique).

© 1978 Romualdas Požerskis

Dans une petite ville de Lituanie, les familles se réunissent une fois par an à l'occasion d'un pèlerinage catholique. Les festivités terminées, deux parents âgés prennent congé l'un de l'autre avant de s'en retourner chez eux.

Minolta SRT 102, 50 mm, Sverma 400/136, Exp. f11-1/250

Robert Lifson
ÉTATS-UNIS

Robert Lifson est photographe depuis plus de vingt ans. Ses travaux l'ont conduit à travers l'Europe, le Mexique et les États-Unis et lui ont valu de nombreuses récompenses. Exposées dans les galeries et les musées du monde entier, ses photos font aujourd'hui partie de collections publiques et privées. Robert est actuellement employé par l'Institut d'Art de Chicago, dans l'Illinois.

© Robert Lifson (date non communiquée)

Sur un piédestal - Respect d'un fermier pour sa femme dans le village rural de Ruseni, en Roumanie.

Rolleiflex TLR, 75 mm, Ilford FP4/120, Exp. f3.5-1/50

Al Lieberman
ÉTATS-UNIS

Al Lieberman, qui a grandi à Chicago, dans l'Illinois, a manifesté un goût pour l'art dès son plus jeune âge. Formé à l'enseignement des Arts à l'Académie des Beaux-Arts de Chicago, il est actuellement professeur de dessin dans une école élémentaire. C'est dans les années soixante, lors de la Convention des Démocrates à Chicago, qu'il a commencé à s'intéresser à la photographie. Aujourd'hui, ses travaux figurent dans les collections permanentes du Musée d'Art Moderne de New York et du Musée Américain de la Smithsonian Institution de Washington D.C., aux États-Unis.

© Al Lieberman (date non communiquée)

Train-train quotidien - Côte à côte, deux personnes âgées attendent patiemment la fin du cycle de séchage de leur linge. Le couple vit dans une communauté de retraités à Sun City Arizona, aux États-Unis.

Leica M3, 50 mm, Kodak Tri-X-135, Exp. f5.6-1/125

J. D. Nielsen
ÉTATS-UNIS

J. D. Nielsen est né en Californie. Durant ses vingt et une années de service au sein de la marine américaine, il a beaucoup voyagé aux États-Unis, en Europe, en Asie et en Amérique centrale. Aujourd'hui il poursuit des études de journaliste-photographe dans l'espoir de faire carrière dans ce domaine.

© 1999 J. D. Nielsen

Les clients de Joe, cordonnier à Covina, en Californie, ne peuvent ignorer les liens privilégiés qui l'unissent à son épouse : ses remarques continuelles l'obligent à fermer boutique le lundi.

Nikon F2, 55 mm, Kodak T-max 400/135, Exp. non communiquée

Josef Sekal
RÉPUBLIQUE TCHÈQUE

Josef Sekal vit à Prague, en République tchèque, et pratique la photographie depuis près de cinquante ans. Il est devenu professionnel indépendant en 1970 après avoir remporté le concours international Phototechnik de Munich, en Allemagne. Depuis, ses photos d'architecture et de paysages ont été publiées dans des ouvrages, sous forme de calendriers et de cartes postales. Aujourd'hui retraité, Josef poursuit ses voyages à travers le monde en quête de nouvelles photos.

© 1974 Josef Sekal

Activité de plein air - Pour changer du canapé de son salon, ce couple âgé a choisi un banc situé dans un parc de Prague, pour rouler ses pelotes de laine.

Linhof Super Technika IV, 95 mm, Agfachrome/4"x5", Exp. f8-1/30

Y. Nagasaki
ÉTATS-UNIS

Originaire du Japon, Y. Nagasaki vit aujourd'hui à New York, aux États-Unis. Il est diplômé de l'Université Aoyama Gakuin à Tokyo et de l'Université de Long Island à New York. En outre, il a obtenu un diplôme de photographie à l'Université de New York. Y. Nagasaki est un photographe professionnel dont les travaux ont été exposés et publiés dans le monde entier.

© 1989 Y. Nagasaki

Main dans la main dans les vagues - Un couple âgé oublie reste du monde sur la plage de Sandy Hook dans le New Jersey aux États-Unis.

Nikon F4S, Nikkor 35-70 mm, Kodak Tri-X/135, Exp. non communiquée

LAURÉAT DE LA CATÉGORIE "AMOUR" CONCOURS M.I.L.K.

Gunars Binde
LETTONIE

Gunars Binde est un photographe largement reconnu, qui a commencé sa carrière en 1958. En 1970, il a été sélectionné comme étant l'un des dix meilleurs photographes en Europe. Il a participé à de nombreuses expositions et remporté plusieurs prix. Gunars été nommé Professeur honoraire en Lituanie et en Autriche. Il vit aujourd'hui à Riga, en Lettonie.

...hars Binde

...lèmes de famille - Échange
...oints de vue, sur un banc,
...s un parc de Moscou, Russie.

...t TAIR 3,5.6/300mm, Foto/180,
...1/60

...ise Gubb
...RIQUE DU SUD

...se Gubb est reporter
...tographe indépendant depuis
...de vingt ans. Elle a beaucoup
...aillé en Afrique mais
...ement vécu et travaillé aux
...s-Unis ainsi qu'au Moyen-
...nt. Actuellement, Louise
...d des photos pour SABA
...s et vit au Cap, en Afrique du

...99 Louise Gubb

...père et son fils simplement
... par l'amour familial sur les
...s du Fiherenana, à
...lagascar. Les Malgaches
...nent dans cette région pour
...oiter les mines de saphirs.

...n F90, 35 mm, Kodak E100
...35, Exp. f5.6-1/125

Stefano Azario
ROYAUME-UNI

Stefano Azario est un photographe
de renommée mondiale, connu
pour son travail sur les enfants.
Ses photos ont fait la couverture
de Vogue Bambini et illustré les
campagnes de publicité de Gap
Kids et Baby Gap. Également
reporter, Stefano travaille
notamment pour le magazine
Traveller des publications Condé
Nast.

© 1999 Stefano Azario

Telle mère, telle fille - Dans l'un
des aéroports de New York, Verity,
9 mois, et sa mère Lydzia
profitent de leurs derniers instants
de jeu avant le long vol qui les
ramènera en Angleterre.

Konika Hexar, 35 mm, Kodak Tri-X/135,
Exp. non communiquée

Cheryl Shoji
CANADA

La Canadienne Cheryl Shoji est
née à Toronto. Diplômée de
l'Université York de sa ville natale,
elle a entamé sa carrière de
photographe au Canadian
Magazine puis a travaillé pour
quantité d'autres publications.
Actuellement, elle est responsable
du service photo au Vancouver
Sun.

© 1982 Cheryl Shoji

À Burnaby, en Colombie-
Britannique, Dorothy apaise son
premier petit-fils, dont elle est
très fière. Le bébé se plaint de sa
couche humide.

Canon AE1, Kodak/135, Exp. non
communiquée

Shauna Angel Blue
ÉTATS-UNIS

Deux fois mère et trois fois grand-
mère, Shauna Angel Blue est un
photographe amateur passionné.
Elle a récemment obtenu un
diplôme de photographie au
Columbia College de Chicago.

© 1997 Shauna Angel Blue

Chicago, Illinois, États-Unis -
Vêtue de son tutu préféré, Rose,
deux ans, danse au son de la
harpe de sa mère.

Nikon, 50 mm, Kodak Tri-X/135, Exp.
f11-1/500

Quoc Tuan
VIETNAM

Quoc Tuan, né à Saigon, est
photographe depuis vingt ans. Il a
remporté plusieurs prix
internationaux, dont le Grand Prix
Accu du Japon en 1999 et le
deuxième prix d'Earth Vision au
Japon en 2000.

© 1999 Quoc Tuan

Un grand-père et une grand-mère,
tous deux âgés de plus de 70 ans,
émerveillés devant leur petit-fils
âgé d'1 mois. Ils jouent avec
l'enfant sous la véranda de leur
maison à Ho Chi Minh-Ville, au
Vietnam. Le petit est né le jour de
l'anniversaire de leurs cinquante
ans de mariage.

Nikon F70, 2.8/180 mm ED, Kodak T-
max 400/135, Exp. f4-1/60\

Raymond Field
AFRIQUE DU SUD

Raymond Field est un
photographe autodidacte.

Actuellement, il travaille pour une
publication consacrée à
l'ingénierie et l'exploitation
minière installée à Johannesburg,
en Afrique du Sud.

© 1992 Raymond Field

Le rythme des tambours incite des
bambins à danser pour le plus
grand plaisir d'une foule de
curieux à Johannesburg, en
Afrique du Sud.

Minolta 500, 35-70 mm, Ilford
HP5/135, Exp. f5.6-1/125

Shannon Eckstein
CANADA

De nationalité canadienne,
Shannon Eckstein a voyagé durant
sept ans à travers le monde avant
de retourner s'installer à
Vancouver. En 1998, elle a fondé
Silvershadow Photographic
Images, une société spécialisée
dans la photographie noir et blanc
créative qui répond à demande
d'un large éventail de clients.

© 1999 Shannon Eckstein

Baiser esquimau - À Vancouver, au
Canada, un jeune père prénommé
Davy découvre le moyen idéal
d'établir un lien affectif avec sa
fille Ciara, âgée de 9 jours
seulement.

Nikon 90X, 24-120 mm, Agfa 100/135,
Exp. f5.6-1/125

Christel Dhuit
NOUVELLE-ZÉLANDE

Christel Dhuit est née et a suivi sa
scolarité en France puis s'est
installée à Londres. Aujourd'hui,
elle vit en Nouvelle-Zélande et
prépare un diplôme de graphisme
et de photographie à Auckland.
Elle travaille déjà comme

photographe indépendante.

© 1999 Christel Dhuit

Malgré leur gémellité, ces deux fillettes âgées de 5 mois, qui vivent à Auckland, en Nouvelle-Zélande, affichent des réactions toutes personnelles.

Canon A1, 50 mm, Kodak T-max 400/135, Exp. non communiquée

Alan Berner
ÉTATS-UNIS

Alan Berner de Seattle (Washington), est diplômé en philosophie et en photographie journalistique. Il travaille actuellement comme directeur photographique pour le journal Seattle Times. L'Association Nationale des Journalistes de Presse l'a nommé photographe régional de l'année à quatre occasions. En 1995, Alan était récompensé par Nikon/NPPA Documentary pour son projet sur l'Ouest américain.

© 1996 Alan Berner

English Bay à Vancouver, Canada - Un couple de jeunes mariés d'humeur joueuse, attendent d'être pris en photo.

Leica M4, 2/35 mm, Kodak Tri-X/135, Exp. f5.6-1/125

Viktor Kolar
RÉPUBLIQUE TCHÈQUE

Photographe indépendant depuis 1984, Viktor Kolar a remporté le prix international Mother Jones en 1991. Depuis 1994, il donne des cours magistraux sur la photographie documentaire à l'Académie des Arts du Spectacle FAMU d'Ostrava, en République tchèque.

© 1992 Viktor Kolar

Représentation printanière - Martie, 6 ans, chante pour sa sœur Terezie, un an, dans les environs d'Ostrava, en République tchèque.

Leica 111.B, 35 mm, NP7/135, Exp. f8-1/200

Steven Siewert
AUSTRALIE

Photographe au Sydney Morning Herald, en Australie, Steven Siewert a couvert l'actualité dans diverses régions du monde, notamment au Rwanda, en Indonésie et en Papouasie-Nouvelle-Guinée. Il a remporté le prix du documentaire Leica en Australie, le prix de la photographie de presse d'Australie et le prix de la Photo de l'Année.

© 1982 Steven Siewert

Frère et sœur aborigènes qui ne peuvent s'empêcher de sourire tandis qu'on les photographie dans le Queensland, en Australie.

Nikon F90X, Macro 55 mm, Ilford XP2/135, Exp. f8-1/500

James Fassinger
ÉTATS-UNIS

Après avoir effectué plusieurs stages en tant que photographe au sein de divers journaux américains, James Fassinger s'est rendu à Prague, en République tchèque. Par la suite, il est

devenu responsable du service photo de Prognosis, le premier journal de langue anglaise du pays. Actuellement, il vit à Prague et travaille en indépendant à travers l'Europe.

© 1998 James Fassinger

Portrait miroir - Sœurs jumelles effectuant une promenade printanière sur les rives de la Vltava à Prague, en République tchèque.

Nikon F3 HP, 55 mm, Kodak T-max 400/135, Exp. f5.6-1/500

Greg Williams
ROYAUME-UNI

Greg Williams est reporter photographe à Londres, en Angleterre. Ses photos sont régulièrement publiées dans Le Figaro, Time, le Stern et le Sunday Times. Greg dirige l'agence de création photographique et artistique Growbag.

© 1998 Greg Williams

Un frère et une sœur à Peterborough, en Angleterre. Jason, 9 ans, aide Georgina, 4 ans, à enfiler ses prothèses avant de sortir jouer. Georgina est une victime de la seconde génération de la thalidomide.

Leica M6, 35 mm, Fuji 800/135, Exp. f4-1/60

Bill Frakes
ÉTATS-UNIS

Bill Frakes est un éminent photographe professionnel. Il a

travaillé dans plus de 50 pays, est actuellement sous contrat a le magazine Sports Illustrated. Ses photos sont parues, depuis une vingtaine d'années, dans le plus grands journaux et magazines, et on compte parm ses clients Nikon, Kodak et IB Bill a remporté le prix Pulitzer celui du photographe de l'anné

© Bill Frakes

En tandem - Une nouvelle vers de maison mobile - immortalise Miami Beach en Floride.

Données techniques non communiqu

Martin Rosenthal
ARGENTINE

Martin Rosenthal a étudié la photographie à l'École du Musé des Beaux-Arts de Boston, État Unis. Photographe à plein temp depuis 1992, il est installé en Argentine mais voyage pour sor métier à travers toute l'Amériqu latine.

© 1995 Martin Rosenthal

Les yeux de l'adoration - Concentration maximale de ces enfants, à Juanchaco, Colombie Chacun d'entre eux veut être le premier à attraper la plume lan par leur père.

Nikon F3 HP, 35 mm, Kodak T-max 400/135, Exp. f8-1/125

Luca Trovato
ÉTATS-UNIS

Luca Trovato est né à Alessand en Italie. Après ses études secondaires au Venezuela, il es parti s'installer en Californie pc étudier la photographie à Santa Barbara. Aujourd'hui photograp

...pendant, Luca vit à New York.

...98 Luca Trovato

...ésert de Gobi, en Mongolie -
...anne avec toutes ses affaires,
... famille nomade prend son
... en patience en attendant de
...le.

...ax 6x7, 2.8/90 mm, Fuji 160
...120, Exp. f5.6-1/60

...lip Kuruvita
STRALIE

...tographe professionnel, Philip
...uvita vit à Launceston, en
...manie. L'Institut Australien de
...hotographie Professionnelle lui
...cerné le titre de Maître en
...9 et il a été nommé
...tographe Professionnel
...manien de l'Année en 2000.

...999 Philip Kuruvita

...jumelles Summer et Melody
...choisi un bûcher pour terrain
...eu, en Tasmanie, en Australie.

... M6, 35 mm, Kodak T-Max/135,
... non communiqué

...us Rijven
...YS-BAS

...s Rijven a étudié l'architecture
...e graphisme dans son pays
...al. Aujourd'hui photographe et
...gner indépendant, il est exposé
...ew York, Jakarta, Tokyo et
...couver ainsi qu'aux Pays-Bas.
...s enseigne à l'Académie Royale
... Beaux-Arts de La Haye.

© 1997 Guus Rijven

Par delà le fossé des générations
à Brummen, aux Pays-Bas. Rien
n'empêchera ce grand-père et son
unique petit-fils de jouer
ensemble, pas même leur quatre-
vingt un ans de différence. C'est
Jarón, 2 ans, qui a choisi le jeu.

Contax 91, 28 mm, Kodak Tri-X, Exp.
non communiqué

Wilfred Van Zyl
AFRIQUE DU SUD

Wilfred Van Zyl a étudié la
photographie au Technikon de
Port Elizabeth, en Afrique du Sud.
Après avoir obtenu son diplôme, il
a travaillé comme photographe
professionnel pendant six ans.
Aujourd'hui, Wilfred dirige sa
propre société, photographie que il
est basée, en Afrique du Sud.

© 1998 Wilfred Van Zyl

Marcelle, 6 ans, s'accroche à son
père, le photographe, qui la fait
tournoyer dans les airs. Pour
parfaire son effet, Wilfred Van Zyl
a fixé l'appareil sur sa poitrine et
utilisé le déclenchement
automatique afin de saisir le
sourire de sa fille ravie par le jeu.
On distingue le reflet du
photographe dans les yeux de la
fillette.

Canon T90, 2.8/24 mm, Agfapan APX
100/135, Exp. f11-1/30

Linda Pottage
AUSTRALIE

Linda Pottage vit à Victoria, en
Australie. Après un début de
carrière d'écrivain, elle a lancé
une marque de vêtement. C'est en
travaillant comme styliste auprès

des photographes chargés de la
promotion de ses créations que
s'est développé son intérêt pour la
photographie. Aujourd'hui Linda
est spécialisée dans le portrait.
Lauréate de divers prix, elle
participe régulièrement à des
expositions de photos à Melbourne,
en Australie.

© 1999 Linda Pottage

Couvert de guirlandes de
marguerites, le chien de la famille
est enterré par un matin d'hiver à
Menzies Creek, près de Victoria,
en Australie. La photographe, à
droite, et ses enfants, Zeke et
Jesse, disent adieu à Leo qui va
reposer sous le prunier.

Canon EOS 1N, 55 mm, Kodak T-
max/135 Exp. non communiqué

Deborah Roundtree
ÉTATS-UNIS

Ancien membre de la faculté de
design de Pasadena et membre de
l'Académie des Beaux-Arts de San
Francisco, en Californie, Deborah
Roundtree a présidé l'agence
Advertising Photographers of
America National et assuré
diverses campagnes pour des
agences publicitaires. Les photos
de Deborah sont présentées dans
la collection permanente de la
bibliothèque du Congrès, aux
États-Unis, et dans diverses
collections privées.

© 1999 Deborah Roundtree

Surprise partie - Une grand-mère
enchantée fête ses 85 ans au
milieu de ses petits-enfants à
Yakima, dans l'État de
Washington, aux États-Unis.

Données techniques non communiquées

Les Slesnick
ÉTATS-UNIS

Diplômé en pharmacie en 1965,
Les Slesnick a obtenu une maîtrise
de photographie à la faculté d'Art
et de Design de Savannah
(Géorgie) en 1993. Depuis 1974,
il expose ses photos d'art et
enseigne le développement couleur
à l'École d'Art Crealde de Floride.
Plus récemment, il est devenu
maître auxiliaire de photographie à
l'Université de Floride du Centre.

LAURÉAT DE LA CATÉGORIE «
FAMILLE » ET DU GRAND PRIX DU
CONCOURS M.I.L.K.

© 1998 Les Slesnick

Portraits personnels - L'essence d'un foyer, son mobilier et ses petits souvenirs en disent long sur la vie du maître des lieux. Cette série de photos prises au Mexique, qui fait partie de la collection « Private Spaces », exalte les petits détails et la beauté simple d'un intérieur.

Canon A1, 24 mm, Kodak/135, f8

Roberto Colacioppo
ITALIE

Roberto Colacioppo est un photographe professionnel installé à Lanciano, en Italie. Il est spécialisé dans les mariages, les portraits et la mode.

© 1999 Roberto Colacioppo

Une grand-mère embrasse de tout son cœur une jeune mariée. La vieille dame, âgée de 97 ans, et sa petite-fille sont les seuls membres de la famille à vivre encore dans le village de montagne de Roccaspinalveti, en Italie.

Nikon F4S, 2.8/80-200 mm, Kodak/135, Exp. non communiquée

Debashis Mukherjee (Deba)
INDE

Diplômé d'études scientifiques, Deba (Debashis Mukherjee) travaille dans le secteur bancaire à Calcutta, en Inde. Ayant commencé à s'intéresser sérieusement à la photographie en 1996, il prépare actuellement un diplôme dans cette discipline.

© 1999 Debashis Mukherjee

Dans le village indien de Champahati, une grand-mère de 70 ans fait la sieste après le repas. Elle partage ce moment privilégié avec son petit-fils qui l'enlace tendrement.

Pentax K1000, 28 mm, Ilford/135, Exp. f2.8-1/8

Thanh Long
VIETNAM

Thanh Long a développé sa première pellicule il y a plus de trente-cinq ans. Toujours photographe professionnel à Nha Trang, au Vietnam, il a remporté la médaille d'or au Salon International de la Photographie Asahi Shimbun, au Japon, en 1988, 1995, 1997 et 1999. Son travail a fait l'objet d'expositions à travers l'Europe, l'Asie et l'Amérique du Nord.

© 1995 Thanh Long

Innocence et sagesse saisies sur le vif à Phan Rang, au Vietnam. Dans un moment de grande tendresse, une grand-mère de 86 ans partage sa longue expérience de la vie avec son petit-fils.

Nikon F2, 2.8/28 mm, Kodak Tri-X 400/135, Exp. f8-1/30

K. Hatt
ÉTATS-UNIS

Natif de Londres, au Canada, K. Hatt a commencé à s'intéresser à la photographie au lycée. Il s'est installé à New York, aux États-Unis, et a travaillé comme assistant pour un certain nombre de photographes de mode avant de se lancer lui-même dans la photographie de mode et le portrait.

© 1993 K. Hatt

Chute libre - Quatre amies en bikini sautent d'un ponton, à Miami, en Floride.

Fuji 645S, 75 mm, Kodak Tri-X/120, Exp. f8-1/250

Claude Coirault
TAHITI

Claude Coirault est né en Guadeloupe. Il a étudié les mathématiques, la physique et les langues à l'université à Paris avant de concentrer son attention sur la photographie. Claude a travaillé comme photographe dans de nombreux pays différents et dans un large éventail de domaines. Actuellement, il est installé à Papeete, à Tahiti.

© 1975 Claude Coirault

Ce jeune garçon - le visage recouvert d'un remède local - oublie une sa maladie en voyant ses amis arriver avec un nouveau jouet, une boîte en carton. Cette scène a été prise à Abidjan, en Côte d'Ivoire.

Canon F1, 200 mm, Kodachrome/135, Exp. f5.6-1/125

Aranya Sen
INDE

Aranya Sen est né à Calcutta, e Inde. Après des études de journalisme, il a travaillé comm photographe de presse indépendant pour de nombreux journaux différents, le magazin Soviet Land et l'agence russe Novosti. Actuellement Aranya travaille pour Kalantar, un jour de Calcutta.

© 1999 Aranya Sen

Une main tendue - De sa petite main, Babloo, un gamin des ru de 6 ans, aide trois amis aveug à traverser la chaussée pour rejoindre leur école, à Calcutta Inde.

Nikon 801S, 80-200 mm, Nova/1 Exp. f11.5-1/125

Ann Versaen
BELGIQUE

Ann Versaen vit à Strombeek-Bever, en Belgique, où elle exe le métier d'infirmière. Elle a étudié la photographie en cours du soir et certaines de ses pho sont aujourd'hui présentées lor d'expositions dans son pays na

© 1981 Ann Versaen

Deux jeunes amis dans les rues la ville tibétaine de Xigazê.

Canon EOS 1000, 35-80 mm, Kodak Gold/135, Exp. non communiquée

ra Catalán
TS-UNIS

a Catalán est née à Madrid, en
gne. Aujourd'hui elle vit à
York, néanmoins la
ographie la mène aux quatre
s du monde. Elle a travaillé,
e autres, pour le magazine
gnol El Europeo, la revue
enne Cosas et l'agence
num de New York. Mara a
ement participé à de
breux projets
matographiques et travaillé
me archiviste dans un musée
Chiapas, au Mexique.

98 Mara Catalán

urplomb de la vallée de
napurna, au Népal, trois
s profitent des plaisirs
les que procure l'amitié.
hées au-dessus d'un
ipice, les deux fillettes ornent
chevelure de fleurs
hement cueillies.

n F, 28 mm, Kodak Tri-X 400/135,
non communiquée

nbut Ketkeaw
AÏLANDE

but Ketkeaw est un
ographe professionnel installé
anatnikhom Chonburi, en
lande. Il dirige un studio
ialisé dans les mariages, les
raits et les photos de famille
availle également pour des
ques d'images. Sombut a
cipé à plusieurs expositions
nisées dans son pays natal.

99 Sombut Ketkeaw

le Yoo, 67 ans, et Oncle Song,
ans, se détendent autour d'un
de uh - boisson alcoolisée
itionnelle - après une longue

journée de travail dans les
environs de Nakornpanom, en
Thaïlande.

Canon EOS 1N, 70-200 mm, Fuji
Velvia/135, Exp. f5.6

Guy Stubbs
AFRIQUE DU SUD

Après une formation de cinq ans
en Afrique du Sud, Guy Stubbs
jouit aujourd'hui d'une réputation
internationale. Il réalise une
grande partie de son travail en
Afrique du Sud, où il se consacre
aux espoirs et aux attentes de ses
compatriotes. Il s'est également
rendu en Inde pour photographier
les projets hydrauliques et
sanitaires des régions les plus
démunies.

© 1996 Guy Stubbs

Des visages inconnus - Ces jeunes
Basotho sont fascinés par Joshua,
16 mois, car il est le premier
enfant blanc qu'ils aient jamais vu
dans leur village de Bokong, dans
les montagnes du Lesotho.

Nikon F4, 75-300 mm, Kodak
T-max/135, Exp. non communiquée

Paul Knight
NOUVELLE-ZELANDE

Paul Knight enseigne le japonais à
l'Université Massey de Palmerston
North, en Nouvelle-Zélande.
Passionné de photo, il s'est rendu
au Japon grâce à une bourse de
l'UNESCO en 1960. Ce voyage a
suscité chez lui l'envie de fixer la
culture japonaise sur la pellicule.
Par la suite, il y a effectué un
séjour de cinq ans. Ses photos ont
ultérieurement fait l'objet de
plusieurs expositions et d'une
tournée nationale.

© 1967 Paul Knight

Dans la petite bourgade animée
de Wajima, au Japon, une
habitante s'empresse de
communiquer les dernières
nouvelles à son amie.

Asahi Pentax, 105 mm, Kodak
Tri-X/135, Exp. non communiquée

Gay Block
ÉTATS-UNIS

La carrière photographique de Gay
Block, qui a débuté en 1975, est
marquée par une collaboration
avec l'écrivain Malka Drucker.
Intitulé Rescuers - Portraits of
Moral Courage in the Holocaust,
ce travail a abouti à la publication
d'un livre et à l'organisation d'une
exposition itinérante présentée
dans plus de trente lieux à travers
les États-Unis et le monde entier.

© 1984 Gay Block

Sous l'ardent soleil de Miami, en
Floride, deux amies veillent à se
protéger le nez durant la
promenade qu'elles effectuent
bras dessus bras dessous le long
de South Beach.

Pentax 6x7, 90 mm, Kodak VPS/220,
Exp. f8-1/60

Duc Doan
VIETNAM

Duc Doan est né à Cam Pha, au
Vietnam, où il vit toujours. Il
poursuit sa carrière de
photographe depuis plus de vingt
ans.

© 1993 Duc Doan

Adieux tendres entre une
Vietnamienne de 88 ans et son
amie d'enfance sur le point de
quitter ce monde à l'âge de 92
ans. Cet instant a été saisi à Ha
Long, dans la province
vietnamienne de Quang Ninh.

Minolta Himatic 7S, 45 mm, Cbema
Poto 64/135, Exp. f5.6-1/30

Aris Munandar
INDONÉSIE

Aris Munandar vit en Indonésie.
Son intérêt pour la photographie
s'est éveillé à la vue des
reportages consacrés à son pays
natal publiées dans des revues
nationales. Il a acheté son
premier appareil durant ses
études et consacre aujourd'hui la
majeure partie de ses loisirs à la
photographie.

© 1995 Aris Munandar

Malgré l'animation de la ville
indonésienne de Wamena, deux
hommes de la tribu des Dani
prennent le temps de faire une
pause. Vêtus de leurs costumes
traditionnels et armés de haches
et de lances artisanales, ils sont
venus à Wamena pour leurs
affaires et pour recontrer des
gens.

Nikon F90, f5.6, Fuji/135, Exp. 1/60

Minh Qúy
VIETNAM

Minh Qúy a suivi une formation
universitaire de professeur des
beaux-arts au Vietnam. Il travaille
comme photographe professionnel
et possède son propre studio à Ho
Chi Minh-Ville depuis 1987.

© 1991 Minh Qúy

Deux sœurs, toutes deux âgées de plus de 80 ans, s'embrassent affectueusement et partagent un moment intime dans la province vietnamienne de Binh Duông.

Nikon FM2, 35-135 mm, Konica/135, Exp. f5.6-1/60

Faisal M. D. Nurul Huda
BANGLADESH

Faisal M. D. Nurul Huda est agent administratif à l'Unité pour la Sécurité Alimentaire de la Commission Européenne au Bangladesh. Diplômé de langue anglaise, il s'adonne avec enthousiasme à la photographie amateur depuis 1991.

© 1998 Faisal M. D. Nurul Huda

Pour fêter leurs retrouvailles après six ans de séparation, ces cousines de la tribu des Marma au Bangladesh fument des cigares roulés à la main. La plus jeune des femmes les a confectionnés spécialement pour l'occasion - pour partager un gage traditionnel d'amitié et d'amour.

Nikon F3, 105 mm, Fuji Neopan SS/135, Exp. f5.6-1/12

Cristina Piza
ALLEMAGNE

Originaire du Costa Rica, Cristina Piza a travaillé quelques temps au Royaume-Uni et à Berlin. Ses travaux les plus récents, qui traitent essentiellement de Cuba et de sa population, ont fait l'objet de nombreuses expositions et lui ont valu quantités de commandes et de récompenses.

© 1998 Cristina Piza

Les vieux amis musiciens Ruben et Ibrahim fêtent la sortie de leur nouveau CD dans un café madrilène, en Espagne.

Hasselblad 500C, 80 mm, Kodak/120, Exp. non communiquée

Francesca Mancini
ITALIE

L'Italienne Francesca Mancini a suivi des études universitaires de psychologie dans sa ville natale de Rome. Récemment, elle a décidé d'entamer une carrière de photographe en se penchant plus particulièrement sur le sort des réfugiés du Kosovo en Italie. Elle travaille désormais comme reporter et photographe indépendant pour diverses agences de presse de Rome.

© 1999 Francesca Mancini

Unies par le chagrin - Dans un moment de solidarité, une jeune femme du Kosovo réconforte son amie dont le mari a été tué par une mine.

Nikon F100, 35 mm, Kodak Tri-X/135, Exp. non communiquée

Marianna Cappelli
ITALIE

Marianna Cappelli est née à Naples, en Italie. Elle vit aujourd'hui à Novaro où elle s'attache à satisfaire son goût pour l'art et la photographie.

© 1996 Marianna Cappelli

Sur une plage de Sardaigne, la curiosité naturelle de la fille de la photographe, Martina, 4 ans, et de son amie Esther débouche sur de nouvelles découvertes.

Canon EOS 600, 35-70 mm, Ilford HP5 Plus/135, Exp. non communiquée

Antony Soicher
AFRIQUE DU SUD

Originaire de Johannesburg, le Sud-Africain Antony Soicher a étudié la photographie au lycée. Ses travaux, essentiellement consacrés au documentaire et à la vie de la rue, s'attachent aux thèmes de l'intimité et de l'humour. Il a publié quatre ouvrages de photographie en édition limitée sur ces sujets.

© 1991 Antony Soicher

Flagrant délit - Jeunes fumeurs regroupés dans un coin d'un parc de Johannesburg, en Afrique du Sud, pour savourer une cigarette en cachette.

Leica M3, 50 mm, Kodak T-max 400/135, Exp. non communiquée

Romano Cagnoni
ITALIE

L'Italien Romano Cagnoni a étudié le reportage photographique à Londres, en Angleterre, auprès du célèbre Simon Guttman. Premier photographe admis au Vietnam du Nord en 1965, il a couvert depuis de nombreux événements mondiaux pour divers magazines internationaux. Ses photos ont remporté de multiples prix, dont USA Overseas Press Award. Dans son livre intitulé *Pictures on a Page*, Harold Evans, ancien rédacteur en chef du Sunday Times à Londres, le compte parmi les sept plus grands photographes du monde.

© 1995 Romano Cagnoni

Bonne humeur de deux adolescentes à bicyclette se rendant à la plage par la route de Pietrasanta.

Leica 2M, 50 mm, Kodak/135, Exp. f8-1/125

Andreas Heumann
ROYAUME-UNI

D'origine allemande, Andreas Heumann a fait ses études en Suisse. Ses photos font partie des collections du Victoria and Albert Museum à Londres, du Musée Kodak de la Photographie de Rochester, aux États-Unis, et de nombreuses collections privées. Elles ont été couronnées de multiples récompenses, dont le prix Agfa en 1994, le prix d'excellence de Communication Arts en 1994 et six grands prix de l'Association des Photographes du Royaume-Uni.

© 1972 Andreas Heumann

Un petit coin de parapluie - Tro

es amis s'abritent en
dant patiemment le début
concert rock organisé en
air, à Londres.

M4, 35 mm, Kodak/135, Exp. non
uniquée

iam Foley
TS-UNIS

s ses études à l'Université
ianapolis, aux États-Unis, le
ter William Foley a travaillé
l'Associated Press et le
azine Time au Caire, en
te, ainsi qu'à Beyrouth, au
n. Le prix Pulitzer lui a été
rné en 1983 pour une série
notos prises à Beyrouth et son
il a régulièrement paru dans
lus grandes publications du
de entier. Après avoir travaillé
quarante-huit pays différents,
am s'est installé à New York
travaille comme photographe
pendant.

13 William Foley

iel est la seule limite pour ces
fillettes de Beyrouth, au
n. Leur terrain de jeux est un
en stade dans lequel se sont
illés des centaines de réfugiés
suite de l'invasion israélienne
982.

n T90, 35 mm, Fuji/135, Exp.
1/250

ry Winn
JVELLE-ZELANDE

Winn exerce le métier de
ographe depuis 1979 à
kland, en Nouvelle-Zélande.
: son épouse, il dirige un
io qui réalise des portraits,
ie des livres, des calendriers
es cartes de vœux. Terry est
bre de l'Institut des
ographes Professionnels de
velle-Zélande.

© 1993 Terry Winn

Le meilleur ami de l'homme -
Jonathan, 9 ans, s'apprête à
plonger dans l'eau, sur son lieu de
baignade préféré, à Auckland, en
Nouvelle-Zélande. Son chien ne
tardera pas à le suivre.

Hasselblad CM, 150 mm, Kodak
Plus-X/120, Exp. f8-1/125

Bernard Poh Lye Kiat
SINGAPOUR

Bernar Poh Lye Kiat est un
photographe chinois qui vit à
Singapour. Son diplôme de la
SAFRA et un prix de meilleur
étudiant en poche, il a ouvert une
boutique de photo. Bernard a
remporté plus de vingt premiers
prix lors de divers concours,
notamment au concours « Détente
à Singapour » organisé par le
Straits Times, au concours de
photos de mannequin du salon de
1992 organisé par Nikon et au
concours Canon Members.

© 1998 Bernard Poh Lye Kiat

Noël à Singapour - Tandis que le
photographe décore sa vitrine pour
les fêtes, les enfants malicieux de
son entourage font tout ce qu'ils
peuvent pour le distraire.

Nikon F90X, 35-90 mm, Fuji/135, Exp.
f11-1/30

Thomas Patrick Kiernan
IRLANDE

L'Irlandais Thomas Patrick
Kiernan s'est intéressé à la
photographie après avoir visité des
expositions de Cartier-Bresson et
de Kertesz à New York. Entre deux
boulots d'été, Thomas s'adonne à
sa passion pour la photographie
en Inde et en Égypte.

© 1996 Thomas Patrick Kiernan

Gracieuses malgré leur lourde
charge - Deux Indiennes marchent
côte à côte pour aller vendre leurs
légumes au marché de Calcutta.

Olympus OM 1N, 1.8/50 mm, Kodak Tri-
X 400/135, Exp. f11/16-1/250

Jinjun Mao
CHINE

Ayant étudié la photographie
durant sa formation militaire en
Chine, Jinjun Mao est devenu
reporter pour la revue de l'armée
Renmin Qianxian. À son retour à
la vie civile, il est devenu
photographe professionnel et
membre de l'Association des
Photographes Chinois. Il a
collaboré à de nombreuses
publications et participé à des
expositions nationales et
internationales. Actuellement,
Jinjun travaille au Studio de
Photographie Ah Mao à Songjiang,
dans son pays natal.

© 1998 Jinjun Mao

Dans le village chinois de
Shuinan, un visiteur de 5 ans
amuse la galerie pour le plus
grand plaisir de son grand-père et
des amis de celui-ci.

Canon AE1, 50 mm, Konika/135, Exp.
f5.6-1/125

Rajib De
INDE

Rajib De est né à Chandernagor,
en Inde. Diplômé en 1987, il a
été engagé par le Telegraph, l'une
des grandes figures de la presse
locale. Depuis cinq ans, il dirige
le service photo du Statesman, à
Calcutta. En 1995, Rajib a
remporté le premier des trois prix
décernés par l'UNESCO. Il a
également obtenu deux prix
auprès de l'Association indienne
de photographie.

© 1994 Rajib De

Tito, 3 ans, emboîte le pas à un
vieux professeur de 82 ans lors de
sa promenade de l'après-midi à
travers les rues de Calcutta, en
Inde.

Nikon F3, 2.8/135 mm, Orow/135,Exp.
f4-1/125

REMERCIEMENTS

Nous tenons à remercier tout particulièrement les personnes, sociétés et organisations mentionnées ci-dessous dont l'aide nous a été précieuse pour mener à bien la réalisation du projet M.I.L.K. et, par conséquent, de cet ouvrage VIVE LA VIE !
Ruth Hamilton, Ruth-Anna Hobday, Claudia Hood,Nicola Henderson, Liz McRae, Brian Ross, Don Neely, Kai Brethouwer, Vicki Smith, Rebecca Swan, Karen Pearson, Bound to Last, Designworks, KPMG Legal, Image Centre Limited, Logan Brewer Production Design Limited,Lowe Lintas & Partners, MTA Arts for Transit, Midas Printing Group Limited, Print Management Consultants, Sauvage Design and Mary-Ann Lewis.

Nos remerciements vont également à :
David Baldock, Julika Batten, Anne Bayin, Sue Bidwill,Janet Blackwell, John Blackwell, Susanna Blackwell, Sandra Bloodworth, Sonia Carroll, Mona Chen, Patrick Cox,Malcolm Edwards, Michael Fleck, Lisa Highton, Anne Hoy, C K Lau, Liz Meyers, James Mora, Paddianne Neely, Grant Nola, Ricardo Ordóñez, Kim Phuc, Chris Pitt, Tanya Robertson, Margaret Sinclair, Marlis Teubner, Nicki White.

Par ailleurs, nous remercions les éditeurs cités ci-dessous de nous avoir autorisé à reproduire certaines des citations présentes dans ces pages. Si, malgré tous les efforts qui ont été déployés pour retrouver les auteurs ou leurs ayants-droit, certaines omissions existaient, nous serions reconnaissants aux intéressés de bien vouloir nous les signaler.
Extrait de Rumi, dans « Looking for Your face », du recueil *The Love poems of Rumi* par Deepak Chopra, © 1998 Deepak Chopra, réimprimé avec l'autorisation de Rider (Royaume-Uni) et Harmony Books, département de Random House, Inc. (États-Unis) ; Extrait de W.H. Auden dans « Twelve songs XII » et « As I Walked out One Evening », repris dans *Collected Shorter Poems*, réimprimés avec l'autorisation de Faber and Faber Ltd (Royaume-Uni), et dans *W.H. Auden Collected Poems*, © 1940 et 1968 par W.H. Auden, réimprimés avec l'autorisation de Random House, Inc. (États-Unis) ; Extrait de Maureen Hawkins dans « The Miracle », tiré de *Watchers and Seekers*, rédigé par Rhonda Cobham et Merle Collins et édité par The Women's Press.

Chef du Jury Elliott Erwitt

Direction artistique Lucy Richardson

Édition française

Responsable éditoriale Odile Perrard
Responsable artistique Nancy Dorking
Traduction Françoise Fauchet
Correction Michelle Goldstein

© Rajib De

M · I · L · K™

Création artistique : Lucy Richardson. Imprimé sur
les presses de Midas Printing International Limited, Chine.

© 2006 Éditions du Chêne, Hachette-Livre, pour la présente édition.

ISBN 2842776534

34.1815.9

Dépôt légal février 2006